Table des matières

Sophie ♡

Un ami magique

Sophie Muir.

Lis d'autres livres
de la collection
JOURNAL DE LICORNE!

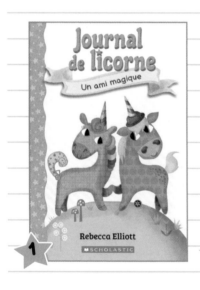

Journal de licorne

Un ami magique

Sophie's Journal

Rebecca Elliott

Texte français d'Isabelle Fortin

■SCHOLASTIC

À mes trois créatures magiques :
Toby, Benjy et Clemmie.
XXX – R. E.

Un merci spécial à Kyle Reed
pour sa contribution à ce livre.

Catalogage avant publication de Bibliothèque et Archives Canada

Titre: Un ami magique / Rebecca Elliott, auteure et illustratrice ;
texte français d'Isabelle Fortin.
Autres titres: Bo's magical new friend. Français.
Noms: Elliott, Rebecca, auteur, illustrateur.
Description: Mention de collection: Journal de licorne |
Traduction de : Bo's magical new friend.
Identifiants: Canadiana 20190220856 | ISBN 9781443181310 (couverture souple)
Classification: LCC PZ23.E447 Ami 2020 | CDD j823/.92-dc23

Ce livre est une œuvre de fiction. Les noms, personnages, lieux et incidents
mentionnés sont le fruit de l'imagination de l'auteure ou utilisés à titre fictif. Toute
ressemblance avec des personnes, vivantes ou non, ou avec des entreprises, des
événements ou des lieux réels est purement fortuite.

L'éditeur n'exerce aucun contrôle sur les sites Web de tiers et de l'auteure,
et ne saurait être tenu responsable de leur contenu.

Copyright © Rebecca Elliott, 2020, pour le texte anglais et les illustrations.
Copyright © Éditions Scholastic, 2020, pour le texte français.
Tous droits réservés.

Il est interdit de reproduire, d'enregistrer ou de diffuser, en tout ou en partie,
le présent ouvrage par quelque procédé que ce soit, électronique, mécanique,
photographique, sonore, magnétique ou autre, sans avoir obtenu au préalable
l'autorisation écrite de l'éditeur. Pour toute information concernant les droits,
s'adresser à Scholastic Inc., 557 Broadway, New York, NY 10012, É.-U.

Édition publiée par les Éditions Scholastic,
604, rue King Ouest, Toronto (Ontario) M5V 1E1.

5 4 3 2 1   Imprimé en Chine 62   20 21 22 23 24

Conception graphique du livre : Maria Mercado

MIXTE
Papier issu de
sources responsables
FSC® C020056
FSC
www.fsc.org

Enchantée!

Dimanche

Bonjour, mon journal!

Je sens que nous allons être les MEILLEURS amis du monde. Mais laisse-moi d'abord me présenter.

Je m'appelle Iris Flamboyant. Mais tout le monde m'appelle Iris.

J'habite dans la forêt scintillante.

Chutes arc-en-ciel

Grottes des trolls

Clairière étincelante

École des licornes de la forêt scintillante

Nids de dragons

Pré fleuri

Montagne enneigée

Huttes
cornues

Village des fées

Étang pétillant

Château
des
gobelins

Beaucoup de créatures magiques
vivent ici...

Comme les trolls! Voici ce que je sais sur eux :

Ils vivent dans des grottes.

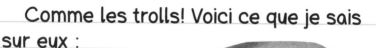

Ils tendent des filets. (Pour attraper ceux qui s'approchent de leurs grottes!)

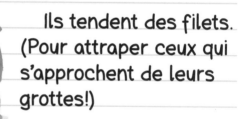

Ils n'aiment pas se faire mouiller.

Ils adorent le fromage moisi. (Beurk!)

Mais revenons à moi! Je suis une licorne.

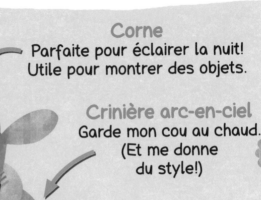

Corne
Parfaite pour éclairer la nuit!
Utile pour montrer des objets.

Crinière arc-en-ciel
Garde mon cou au chaud.
(Et me donne
du style!)

Nez
Expulse des
paillettes
quand
j'éternue!

Queue
Active mon pouvoir de licorne
quand je l'agite.
Idéale pour éloigner les mouches.

Nous, les licornes, sommes PLUS que des créatures à corne étincelante! Voici quelques faits amusants à notre sujet :

Nous avons toutes un pouvoir différent. Je suis une licorne qui exauce les vœux.

Je peux en exaucer un par semaine.

Quand nous sommes nerveuses, nous devenons phosphorescentes.

Nous dormons sur de petits nuages flottants. (Et nos ronflements sont très mélodieux!)

Nous mangeons des aliments colorés.

Je vis à l'École des licornes de la forêt scintillante. C'est la meilleure école du monde!

Je te présente M. Reflets Argentés. Il s'occupe de nous et nous enseigne comment devenir de meilleures licornes.

J'ai beaucoup d'amis! Nous voici devant notre **HUTTE CORNUE** (l'endroit où nous dormons) :

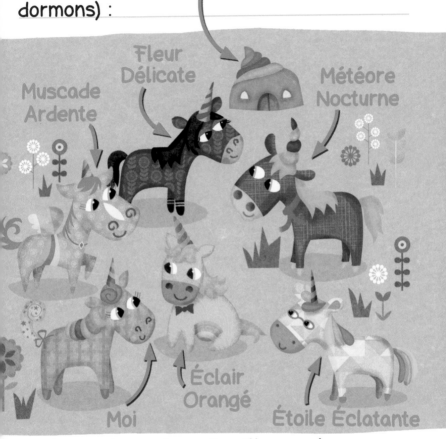

Muscade Ardente

Fleur Délicate

Météore Nocturne

Éclair Orangé

Moi

Étoile Éclatante

Mes amis sont ma famille, car les licornes n'ont pas de parents. En fait, nous ne naissons pas comme les autres créatures. Nous **APPARAISSONS** soudainement lors des nuits très étoilées!

Nous étudions des matières
BRILLANTASTIQUES comme :

MOUVEMENTS ET
MUSIQUE MAGIQUES

SOINS DE LA
CRINIÈRE ET
DE LA QUEUE

CRÉATURES DE LA FORÊT
SCINTILLANTE

USAGE DES POUVOIRS DE LICORNE

Tu te souviens quand j'ai dit que nous apparaissions lors des nuits très étoilées? Eh bien, le ciel est <u>rempli d'étoiles</u> ce soir. J'espère qu'une nouvelle licorne sera là demain matin!

Cher journal, puis-je te confier quelque chose? Je n'ai jamais vraiment eu de <u>meilleur</u> ami. J'aimerais tellement qu'une nouvelle licorne le devienne!

Je croise les **SABOTS!**

Un nouvel ami?

Lundi

Cher journal, j'ai une nouvelle **ÉBLOUISSANTE** à t'annoncer! Devine ce qui est apparu dans la forêt la nuit dernière? Une nouvelle licorne!

C'est un garçon. Il est entré dans la classe en trottinant... et a renversé le bureau de M. Reflets Argentés!

OUPS!

Le nouveau a ri, et nous aussi. Il a l'air un peu maladroit.

Chers élèves, je vous présente Soleil Radieux. Vous rappelez-vous à quel point vous étiez effrayés à votre arrivée? J'aimerais donc que vous soyez gentil avec Soleil et que vous l'aidiez à s'orienter.

Salut!

Bienvenue!

Nous nous sommes tous présentés.

Soleil s'est assis à côté de moi. Génial!

Puis M. Reflets Argentés lui a donné une couverture à écussons.

J'ai expliqué à Soleil que nous tentions chaque semaine d'obtenir un nouvel écusson. Quand notre couverture en est remplie, c'est que nous sommes prêts à quitter l'école.

M. Reflets Argentés présente toujours le nouvel écusson le lundi. Puis il le remet le vendredi, pendant le défilé des écussons.

L'écusson de cette semaine est celui du POUVOIR DE LICORNE. Pour l'obtenir, vous devrez aider une créature grâce à votre pouvoir.

Je n'aurai aucune difficulté à obtenir cet écusson! Il va me suffire d'exaucer le souhait de quelqu'un qui en a besoin.

Nous avions tous hâte de passer à l'action. Chacun de nous a expliqué son pouvoir à Soleil.

Je suis une licorne guérisseuse. J'aide les autres à se sentir mieux.

Je fais apparaître des objets. S'il te faut quelque chose, je le ferai sortir de ma crinière.

Je suis
une licorne
volante!

Je contrôle la météo.
Si tu veux qu'il neige,
tu n'as qu'à me le
demander!

Je peux changer
de taille.

Puis mon tour est arrivé.

J'exauce les vœux. Un par semaine. Si tu souhaites quoi que ce soit, n'importe quoi, tu n'as qu'à me le dire!

À notre grande surprise, une souris s'est ensuite mise à parler.

Je suis une licorne qui change de forme!

Bien sûr, c'était M. Reflets Argentés.
Il nous fait toujours sursauter quand il
fait ça.

Ce n'est pas grave, Soleil. La plupart des licornes connaissent immédiatement leur pouvoir, mais pas toutes. Tu vas sans doute bientôt découvrir le tien.

Soleil a éternué et a renversé trois pupitres.

Oups! C'est évident que mon pouvoir n'est <u>pas</u> de laisser les choses à leur place!

Avant de dormir, j'ai chuchoté une idée à Étoile.

> J'espère que Soleil va faire le vœu de connaître son pouvoir. Cela nous aiderait tous les <u>deux</u> à obtenir notre écusson.

> Oui, mais tu ne peux pas <u>dire</u> aux gens quoi souhaiter. Tu te souviens? Ton pouvoir ne fonctionne pas comme ça.

> Je sais. J'espère juste que Soleil fera ce vœu.

Soleil dort sur le nuage à côté du mien. Il est si mignon. Il ronfle déjà!

3

Vilains trolls!

Mardi

Bonjour, mon journal!

Aujourd'hui, nous nous sommes promenés dans la forêt scintillante. Nous avons exploré les bois à la recherche de créatures à aider.

Nous sommes d'abord allés nager dans l'étang pétillant.

Quand Soleil a plongé, il a fait PLEIN d'éclaboussures.

Ensuite, nous sommes allés glisser sur la montagne enneigée.

Puis nous sommes allés sauter sur les pierres au pied des chutes arc-en-ciel.

Nous nous sommes retrouvés près des grottes des trolls.

Ne t'approche pas trop!

Les trolls sont méchants parfois!

Nous nous sommes éloignés sur la **POINTE DES SABOTS.**

Nous avons pique-niqué à la clairière étincelante. Nous avons mangé de la crème glacée aux **RAYONS DE SOLEIL.** Miam!

Puis nous avons eu un plaisir **MAGIE-FIQUE** à jouer à cache-cache.

Mais, Ô MALHEUR! Nous n'avons trouvé Soleil et Éclair nulle part. Après de LONGUES recherches, nous avons commencé à nous faire du souci.

Soudain, Éclair, minuscule, est arrivé en courant. Il avait l'air inquiet.

Nous avons demandé à Éclair ce qui s'était passé.

Soleil et moi courions par là pour nous cacher quand nous avons été pris dans un filet.

Les trolls!

Oui! Je me suis rapetissé à l'aide de mon pouvoir pour m'échapper et aller chercher de l'aide. Venez vite!

Tandis que nous suivions Éclair au galop, des étincelles magiques sont apparues autour de lui.

Nous avons suivi Éclair jusqu'aux grottes des trolls.

Nous avons repensé aux leçons sur les Créatures de la forêt scintillante de M. Reflets Argentés.

Ils détestent l'eau!

C'est vrai! Je vais utiliser mon pouvoir pour qu'il pleuve.

Vite!

Météore a agité la queue. Soudain, le ciel s'est rempli de nuages sombres, et il s'est mis à pleuvoir.

Hé! Salut. Je ne faisais que... prendre l'air.

Tout le monde a ri.

Comment allons-nous sortir Soleil de ce filet?

Je vais utiliser mon pouvoir. Je sais ce qu'il nous faut.

Fleur a remué la queue. Puis elle a tiré quelque chose de sa crinière.

Soleil est tombé au sol. Des étincelles magiques sont apparues autour de Fleur et de Muscade.

POP!

Super! Étoile a aussi obtenu un nouvel écusson.

De retour à l'école, nous avons mangé de la tarte à la **MOUSSE DE NUAGE.**

Soleil, je suis vraiment contente que tu ailles bien. Tu n'as jamais cessé de sourire! Comment fais-tu pour être si courageux?

Quand on sourit, les choses semblent souvent moins graves. Même quand on est pris dans un grand filet de troll effrayant.

C'est génial que tout le monde ait obtenu un nouvel écusson. Bon, tout le monde sauf Soleil et moi. Avant de dormir, j'ai essayé de faire comprendre à Soleil que je pouvais l'aider à trouver son pouvoir...

Si seulement je connaissais mon pouvoir...

Si seulement <u>quelqu'un</u> faisait le VŒU de découvrir son pouvoir... Soleil?

Mais il ronflait déjà. Je vais réessayer demain.

4

La fête féérique

Cher journal,

Au déjeuner, j'ai parlé de Soleil à Muscade.

Pourquoi Soleil ne fait-il pas le vœu de connaître son pouvoir? Ce serait si simple pour moi de l'aider.

C'est une grosse faveur à demander. Peut-être qu'il trouve qu'il ne te connaît pas assez.

NOM D'UNE PAILLETTE! Tu as raison! Il doit apprendre à mieux me connaître. <u>Ensuite</u>, il va me demander de l'aider.

Après les cours, j'ai trottiné vers Soleil.

Hé! Soleil! Tu vas adorer le village des fées. Tu veux que je t'y conduise?

Oui! Ce serait MAGIE-FIQUE, Iris.

En chemin, nous nous sommes arrêtés
au pré fleuri pour sentir les fleurs.

Ensuite, nous sommes passés au galop devant le château des gobelins.

La famille royale des gobelins habite là.

Oh! Il paraît que c'est dur de trouver à manger au château.

Ah oui? Pourquoi?

Parce que les gobelins n'arrêtent pas de tout GOBER!

HA! HA! HA! HA! HA! HA! HI! HI! HI! HI! HI! HI!

Nous sommes finalement arrivés au village des fées.

C'est si mignon et minuscule!

Soudain, un guerrier féérique est sorti de derrière une feuille. Il paraissait fâché.

Qui traitez-vous de <u>mignon</u>?

Personne!

GRR!

<u>Vous</u> n'êtes pas mignon du tout!

Ce que mon ami veut dire, c'est que... euh... vous avez l'air brave et effrayant!

C'est mieux!

Oh! Salut, Iris. Veux-tu venir à notre fête?

Qui refuserait de participer à une fête féérique?

Nous avons dansé pendant des heures. C'était MAGIQUE!

Leur groupe de musique, Les Fées et Rock, était <u>tellement</u> bon que nous avons invité les membres à venir jouer vendredi pendant notre défilé des écussons.

Ensuite, nous avons observé les
étoiles ensemble.

Je voulais aider Soleil. Pas seulement pour avoir mon nouvel écusson, mais aussi parce qu'il était mon ami. Je me suis dit que c'était le BON moment pour lui parler de faire un vœu...

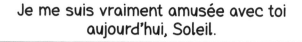

Je me suis vraiment amusée avec toi aujourd'hui, Soleil.

Moi aussi!

J'espérais que si on passait plus de temps ensemble, tu me demanderais de t'aider à trouver ton pouvoir.

Attends! C'est pour ça que tu as passé du temps avec moi? Pour que je te demande d'exaucer mon vœu? Tu ne voulais qu'obtenir un écusson?

Mais il est reparti vers notre **HUTTE CORNUE.**

Oh! Journal, j'ai tout gâché! Maintenant, Soleil pense que je ne voulais être son amie que pour avoir cet écusson ridicule. La vérité, c'est que je souhaite plus que tout être amie avec lui. Comment puis-je arranger les choses?

Soleil rigolo

Jeudi

Pour notre cours de CRÉATURES DE LA FORÊT SCINTILLANTE, M. Reflets Argentés avait apporté de tout petits farfadets forestiers. Nous étions tous très excités de les voir de près, sauf Étoile, qui avait peur d'eux.

Soleil a fait semblant d'ignorer qu'il avait un farfadet sur la tête.

Quoi? Ai-je quelque chose de coincé entre les dents? C'est vraiment gênant.

Étoile a tellement ri qu'elle en a oublié sa peur.

Juste après, nous avions le cours
de MOUVEMENTS ET MUSIQUE MAGIQUES.
Pendant que tout le monde dansait,
Éclair est resté caché dans un coin.

Soleil a fait semblant de tomber plein
de fois… jusqu'à ce qu'Éclair se joigne
à nous. Ils ont éclaté de rire et ont
commencé à danser n'importe comment.

Pendant le cours de SOINS DE LA CRINIÈRE ET DE LA QUEUE, M. Reflets Argentés nous a montré une nouvelle sorte de tresse. Muscade s'est tout emmêlée.

Ah! Je suis coincée!

Soleil l'a aidée à rester calme pendant que M. Reflets Argentés démêlait les rubans.

Aujourd'hui, Soleil a été gentil avec tout le monde. Mais je pense qu'il est encore un peu fâché contre moi.

J'ai une idée, journal! Je vais faire quelque chose de spécial pour Soleil afin de lui montrer que je peux être une bonne amie.

J'ai pris de la laine et j'ai travaillé fort toute la soirée.

Je suis rentrée sur la **POINTE DES SABOTS** après l'heure du coucher. Heureusement, Soleil ne dormait pas.

Soleil, j'ai fait un écusson rien que pour toi... parce que tu as fait rire tous ceux qui en avaient besoin.

Waouh! Merci, Iris! C'est vraiment gentil de ta part.

Je veux qu'on soit de bons amis.

Je sais. Je suis désolé de m'être sauvé, hier.

C'est juste que ton pouvoir est vraiment génial. Et si le mien était terrible? Sans compter que je voudrais le découvrir moi-même, comme vous tous. Pas en faisant un vœu, tu comprends?

Bien sûr. Je comprends tout à fait.

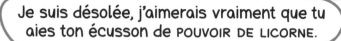

Je suis désolée, j'aimerais vraiment que tu aies ton écusson de POUVOIR DE LICORNE.

Et je suis désolé de ne pas t'aider à obtenir le tien en faisant un vœu.

Ce n'est pas grave. Je me suis fait un nouvel ami. C'est bien mieux qu'un écusson.

Il n'y a rien de mieux!

Nous avons continué de discuter et de rire jusque tard dans la nuit. C'était <u>si amusant</u> de passer du temps avec mon nouvel ami!

Soleil essaie toujours de rendre les autres heureux. Je veux qu'il le soit aussi. J'espère qu'il va trouver son pouvoir à temps pour le défilé des écussons de demain. Bonne nuit, mon journal!

6
L'écusson du pouvoir de licorne

Vendredi

Tout le monde a hâte d'assister au défilé des écussons de ce soir. Enfin… sauf M. Reflets Argentés. Il a perdu sa cravate préférée près des grottes des trolls!

OH!

OH!

OH!

OH!

OH!

OH!

Que faisiez-vous là-bas?

Au dîner, tout le monde parlait du défilé.

Nous nous sommes tous dirigés vers le pré fleuri.

Le défilé des écussons était GÉNIAL!
Les Fées et Rock ont donné un concert.
Et j'ai mangé tout ce que j'aime : de la
POUSSIÈRE DE RÊVE, des MAGIE-MAUVES
et des JUJUBES CHATOYANTS!

À un moment donné, Soleil a trébuché, et un immense bol de crème glacée aux **BAIES ÉCLATANTES** a été projeté en l'air.

SPLAF

Nous avons ri comme des fous!

Tu ne connais peut-être pas encore ton pouvoir, Soleil. Mais celui de faire rire les gens est mieux que <u>tous</u> les pouvoirs magiques! Tu mérites vraiment cet écusson que je t'ai fait.

Soudain, un grand **CRAC** a retenti!

Oh non! J'ai brisé ma batterie.

On ne pourra plus jouer.

Je souhaiterais en avoir une nouvelle!

Attends! Viens-tu de faire un vœu?

Ma queue a alors commencé à s'agiter.
ZOUIP! Une batterie flambant neuve est
apparue. Puis...

J'ai finalement eu mon écusson!
J'étais si heureuse! Nous avons tous
dansé et bu du sirop de baie. C'était
la première fois que Soleil en buvait.
Ça lui a donné un hoquet terrible.

Journal, tu ne devineras jamais ce qui
est arrivé!

Soleil a hoqueté
une autre fois,
et **PING!** Il est
redevenu visible.

J'ai une idée, monsieur Reflets Argentés.
Je vais chercher votre cravate.

Mais elle est près des grottes des
trolls! C'est trop dangereux.

Les trolls ne m'attraperont
pas s'ils ne me voient pas.

HIC! Puis nous avons entendu Soleil
partir au galop...

Il est revenu quelques minutes plus tard avec la cravate de M. Reflets Argentés.

Waouh! Merci, Soleil. Tu as été futé et courageux.

Soleil venait d'obtenir son premier écusson... sans aucune aide et juste à temps. **HOURRA!**

À la fin de la soirée, nous avons défilé devant M. Reflets Argentés pour obtenir nos nouveaux écussons.

Cette semaine, vous avez tous été braves et aimables les uns envers les autres. Je suis heureux de vous remettre vos écussons de POUVOIR DE LICORNE!

Ensuite, nous avons dansé sous les étoiles jusqu'à en avoir mal aux **SABOTS**.

Fiou! Quelle semaine INTENSE! J'ai reçu un écusson, une nouvelle licorne est arrivée parmi nous (et elle a le pouvoir le plus INCROYABLE qui soit) et surtout... J'AI MAINTENANT UN <u>MEILLEUR</u> AMI!

À bientôt, cher journal. Fais de beaux rêves magiques!

Rebecca Elliott n'a peut-être pas de corne magique et ne peut pas non plus faire jaillir des paillettes quand elle éternue, mais elle est tout de même un peu comme une licorne. Elle essaie de toujours garder une attitude positive, rit beaucoup et vit avec des créatures fantastiques : son mari guitariste, ses enfants à la fois bruyants et charmants, des poules fofolles et un gros chat paresseux prénommé Bernard. Comme elle a la chance de cohabiter avec ces personnages amusants et d'écrire des histoires dans le cadre de sa profession, elle trouve que la vie est plutôt magique!

Rebecca est l'auteure de la série populaire de romans à chapitres pour jeunes lecteurs *HIBOU HEBDO.*

Journal de licorne

Qu'as-tu retenu de ta lecture?

Relis le chapitre 1, puis nomme cinq faits amusants sur les licornes.

À l'école, les licornes obtiennent chaque semaine un nouvel écusson. Que se passe-t-il quand une licorne en obtient un? Et une fois que sa couverture en est remplie?

Iris essaie d'aider Soleil à s'intégrer en lui expliquant les règles de l'école et en lui montrant la forêt. Nomme deux façons d'accueillir un nouvel ami.

Soleil est triste quand il a l'impression qu'Iris ne veut être amie avec lui que pour obtenir un nouvel écusson. Comment Iris l'aide-t-il à se sentir mieux?

Si tu étais une licorne magique, quel pouvoir aurais-tu? Dessine et nomme ta licorne!